Mon école est un zoo!

Mon école est un zoo!

Capitaine
Crocs pointus

OUVRIR

2 %
Jus de
palourdes

Stu Smith • Illustrations de David Catrow
Texte français d'Hélène Rioux

Éditions
SCHOLASTIC

Hier, avec l'école, je suis allé au zoo,
et depuis, je suis tout déboussolé.
Autour de moi, tout semble différent,
c'est vrai, on dirait que le monde a changé.

Mes parents ne sont pas comme avant,
ils font de drôles de bruits en mangeant.
Ma petite sœur grignote mon cahier.
C'est l'heure de partir pour l'école,
j'ai hâte d'y aller.

Attention! Glissant!

L'autobus scolaire est là, je monte à bord.
Aussitôt, mon cœur se met à battre très fort.
Le chauffeur a le corps couvert de fourrure
et de pelures de bananes, quelle allure!

Sur chaque siège, des animaux sont assis.
Mais où sont donc passés mes amis?
Il y a toujours une réponse aux questions.
À l'école, j'en parlerai à mademoiselle Bouton.

Je me précipite dans la classe
pour tout raconter à mon enseignante.
Elle n'y est pas. Quant à la remplaçante,
oh là là, c'est une ourse à l'air coriace.

Dans mon pupitre, des abeilles bourdonnent, affairées.
Des lézards rampent sur le plancher.
Une chèvre a mangé tous mes crayons
et sur ma chaise, il y a un hérisson.

Je me rends à mon cours de dessin.
À vrai dire, ça ne sert à rien.
Il faudrait commencer par faire sortir les pythons.
Impossible de les décoller du plafond.

Je vais au local d'informatique.
Des souris mangent des limaces.
Les ordinateurs ne sont plus efficaces.
Pas étonnant, ils sont couverts de tiques.

Pour m'aider, je ne trouve personne.
Un yak parle au téléphone.
Quant au directeur, il est trop occupé :
il ronge un os. Je préfère ne pas le déranger.

J'essaie de me cacher, mais la bibliothécaire
m'aperçoit et me regarde d'un drôle d'air.
Je jette un coup d'œil circulaire.
Dans tous les livres, je ne vois que des vers.

Je me dirige vers la cafétéria,
et j'arrive en plein brouhaha.
Les lions poursuivent les gnous.
Je vous assure, c'est complètement fou.

Dans ma boîte à lunch, un homard
agite une pince sous mon nez.
Un vautour m'observe sans broncher :
il attend que je lui donne sa part.

Dans la cour de récré, c'est le tohu-bohu.
La glissoire est envahie par les tortues.
Les hyènes rient à s'en décrocher la mâchoire
en regardant l'hippopotame sur
la balançoire.

Le cours de musique est plutôt bruyant.
Un pingouin a pris la baguette du maestro.
L'autruche chante à contretemps.
Le singe s'écrase le pouce, quel nigaud!

J'ai un peu l'estomac à l'envers,
alors je vais consulter l'infirmière.
Ses dents pointues me font reculer.
C'est une chauve-souris, vous l'avez deviné.

Sur ma feuille, trois étoiles de mer sourient.
Un castor nettoie le tableau, ravi.
Un phoque secoue les brosses, bravo!
Et un renard remet le prix du costume le plus beau.

Dans l'autobus qui me ramène à la maison,
deux mouffettes me tiennent compagnie.
Elles sont gentilles, mais ne sentent pas très bon.
Je ferme les yeux. Aussi bien en prendre mon parti.

Tout d'un coup, le chauffeur
me secoue.
La vie semble être redevenue
comme avant.
Je vois ma petite sœur qui joue.
Elle mange du sable,
ça n'a rien d'étonnant.

L'école a prévu une nouvelle sortie.
Nous irons voir les dinosaures mercredi.
J'espère seulement que le lendemain
de cette visite au musée
ne sera pas aussi bizarre que la journée
que je viens de passer.

Cela ne risque pas d'arriver,
les dinosaures n'existent plus.
Du moins, je pense qu'ils ont disparu.
Mais, bien sûr, je peux me tromper.

Pour Sue, Ryan et Mackenzie
(Gracie et Koala aussi!)
— S. S.

Pour Judythe,
chaque jour est un anniversaire.
— D. C.

Catalogage avant publication de Bibliothèque et Archives Canada

Smith, Stu
Mon école est un zoo! / Stu Smith;
illustrations de David Catrow;
texte français d'Hélène Rioux.

Traduction de : My school is a zoo.
Pour enfants de 3 à 8 ans.
ISBN 978-0-439-94163-1

I. Catrow, David II. Rioux, Hélène, 1949- III. Titre.

PZ23.S65Mo 2007   j813'.6   C2007-900173-4

Édition publiée par les Éditions Scholastic,
604, rue King Ouest, Toronto (Ontario) M5V 1E1,
avec la permission de HarperCollins.

5 4 3 2 1   Imprimé à Singapour   07 08 09 10 11

Typographie d'Elynn Cohen

Couverture : © David Catrow, 2004, pour l'illustration.
Conception graphique : Elynn Cohen